LES REQUINS

Auteur
Cathy FRANCO

Mise en page et illustration
Jacques DAYAN

Collection créée et conçue par
Émilie BEAUMONT

FLEURUS

GROUPE FLEURUS, 15-27, rue Moussorgski 75018 PARIS

LES ANCÊTRES

Les requins existaient bien avant les dinosaures, comme en témoignent des dents fossilisées de 400 millions d'années ! Les rares empreintes de spécimens entiers ont permis de décrire plus précisément certaines espèces, mais l'origine des requins reste confuse. Leur évolution est difficile à retracer, car les squelettes datent d'époques différentes, parfois éloignées de plusieurs dizaines de millions d'années. Les principaux groupes de requins actuels sont apparus il y a environ 100 millions d'années.

Le témoignage des fossiles

Étudier les espèces disparues est une entreprise difficile. Plus encore quand il s'agit de requins. En effet, si leurs dents se conservent très bien, leur squelette fait de cartilage se dissout facilement après leur mort, ce qui explique la rareté des fossiles retrouvés entiers. Ci-dessus, l'empreinte d'un petit requin datant de 65 millions d'années.

Une drôle d'enclume sur le dos

Parent du cladoselache, le stetachanthe avait sur le dos un appendice en forme d'enclume, recouvert de petites dents qui garnissaient également le dessus de sa tête. Cet organe était-il une arme défensive ? Un ornement nuptial ? Ou peut-être le requin s'en servait-il pour se fixer sur des poissons plus gros et se faire ainsi transporter ? Les scientifiques sont partagés.

Un très vieux requin

Le cladoselache, petit requin de 1 m de long (1), vivait il y a 360 millions d'années. Il se nourrissait de crustacés et de petits poissons osseux. Bien que très agile, il était la proie des poissons cuirassés géants (2), qui dominaient les mers à cette époque. À la différence des requins actuels, sa bouche ne s'ouvrait pas sur la face ventrale et ses mâchoires étaient peu mobiles.

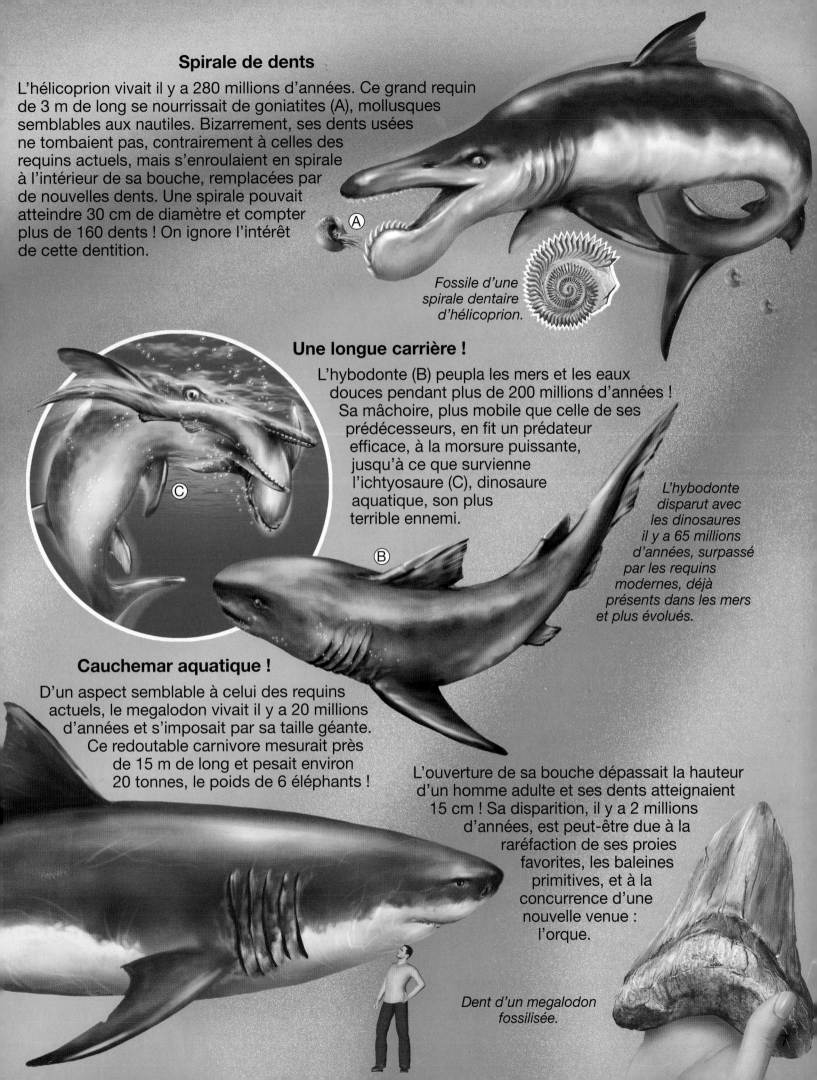

Spirale de dents

L'hélicoprion vivait il y a 280 millions d'années. Ce grand requin de 3 m de long se nourrissait de goniatites (A), mollusques semblables aux nautiles. Bizarrement, ses dents usées ne tombaient pas, contrairement à celles des requins actuels, mais s'enroulaient en spirale à l'intérieur de sa bouche, remplacées par de nouvelles dents. Une spirale pouvait atteindre 30 cm de diamètre et compter plus de 160 dents ! On ignore l'intérêt de cette dentition.

Fossile d'une spirale dentaire d'hélicoprion.

Une longue carrière !

L'hybodonte (B) peupla les mers et les eaux douces pendant plus de 200 millions d'années ! Sa mâchoire, plus mobile que celle de ses prédécesseurs, en fit un prédateur efficace, à la morsure puissante, jusqu'à ce que survienne l'ichtyosaure (C), dinosaure aquatique, son plus terrible ennemi.

L'hybodonte disparut avec les dinosaures il y a 65 millions d'années, surpassé par les requins modernes, déjà présents dans les mers et plus évolués.

Cauchemar aquatique !

D'un aspect semblable à celui des requins actuels, le megalodon vivait il y a 20 millions d'années et s'imposait par sa taille géante. Ce redoutable carnivore mesurait près de 15 m de long et pesait environ 20 tonnes, le poids de 6 éléphants !

L'ouverture de sa bouche dépassait la hauteur d'un homme adulte et ses dents atteignaient 15 cm ! Sa disparition, il y a 2 millions d'années, est peut-être due à la raréfaction de ses proies favorites, les baleines primitives, et à la concurrence d'une nouvelle venue : l'orque.

Dent d'un megalodon fossilisée.

UN POISSON PAS COMME LES AUTRES

Les requins forment le groupe des sélaciens, poissons au squelette cartilagineux. Ainsi, leur puissant corps possède souplesse et légèreté. Bien que d'un aspect très différent d'une espèce à l'autre, ils ont en commun de nombreuses caractéristiques, dont un mode de reproduction évolué et les sens les plus perfectionnés du monde animal ! On compte 375 espèces de requins, du plus petit, qui tient dans la main, au plus grand (18 m de long).

La peau du requin

Elle est protégée par des denticules, écailles faites d'ivoire et d'émail, comme les dents. Mieux vaut ne pas s'y frotter, sous peine de sévères écorchures ! Sur ces denticules bien agencés, l'eau s'écoule sans remous à la surface de la peau, ce qui facilite la nage. Imitant cette prouesse, des chercheurs ont eu l'idée de créer une peau de requin artificielle pour recouvrir des avions. Résultat : ces avions consomment moins de carburant.

①

Nageoires et queue

Chez les requins rapides, la queue a une forme de croissant. Très puissante, elle propulse l'animal en avant. Chez les requins de fond, plus lents, comme l'émissole ci-dessous, la queue est souple et effilée, ce qui leur permet de se faufiler dans le dédale des rochers. Les nageoires contribuent à stabiliser le requin. Les nageoires dorsales, par exemple, lui évitent de se retourner sur le dos. Les nageoires pectorales, à l'avant du corps, lui permettent en outre de changer de direction et de freiner.

Un foie volumineux

Les requins n'ont pas de vessie natatoire, poche d'air qui empêche les poissons de couler. Leur foie (1) rempli d'huile, plus légère que l'eau, les aide à flotter. Il peut peser à lui tout seul un quart du poids du requin ! L'huile constitue également une réserve d'énergie en cas de jeûne. Après un bon repas, un requin peut rester deux mois sans rien avaler !

⑦

Un arsenal de sens

Le requin a l'odorat fin. Il pourrait sentir une minuscule goutte de sang dans une piscine ! Il voit également très bien dans l'obscurité et perçoit des sons que nous n'entendons pas. Outre cinq sens bien développés, la ligne latérale (2), que l'on trouve chez la plupart des poissons, le renseigne sur la distance d'une proie, d'un ennemi ou d'un obstacle. C'est un fin canal parcouru de cellules sensibles aux mouvements de l'eau. Un septième sens vient compléter cet arsenal : les ampoules de Lorenzini (3) sont de minuscules organes qui permettent au requin de capter les champs électriques émis par les êtres vivants. Elles feraient également office de boussole.

Comment respire le requin ?

Grâce à des fentes branchiales (4), qui extraient l'oxygène de l'eau qu'il avale. Les requins actifs, qui ont besoin de beaucoup d'oxygène, doivent nager sans cesse pour assurer un flux d'eau permanent vers leurs fentes branchiales. Chez les espèces peu actives, l'eau avalée est aspirée vers les fentes branchiales par un mécanisme de pompage musculaire.

Des mâchoires terrifiantes

Longtemps on a cru que, gêné par son museau, le requin devait se tourner sur le côté pour mordre ses proies. Il n'en est rien. Contrairement aux poissons osseux, sa mâchoire supérieure n'est pas soudée au crâne, ce qui lui confère une grande mobilité. Au moment de mordre, le requin soulève son museau et projette sa mâchoire en avant, ouvrant une gueule démesurée. Le coup de dent d'un requin de 3 m de long a la force d'un poids de 3 tonnes s'écrasant sur notre orteil !

Les dents de la mer

La dentition du requin compte jusqu'à 20 rangées de dents ! Seule la première est utilisée. Les autres sont des dents de rechange, qui avancent comme sur un tapis roulant et remplacent peu à peu les dents usées. Un requin perd jusqu'à 20 000 dents au cours de sa vie ! Selon l'espèce, les dents servent à broyer (5), déchirer (6) ou cisailler (7). Les longues dents effrayantes du requin-taureau ci-contre ne servent qu'à saisir les poissons, qu'il avale tout rond !

9

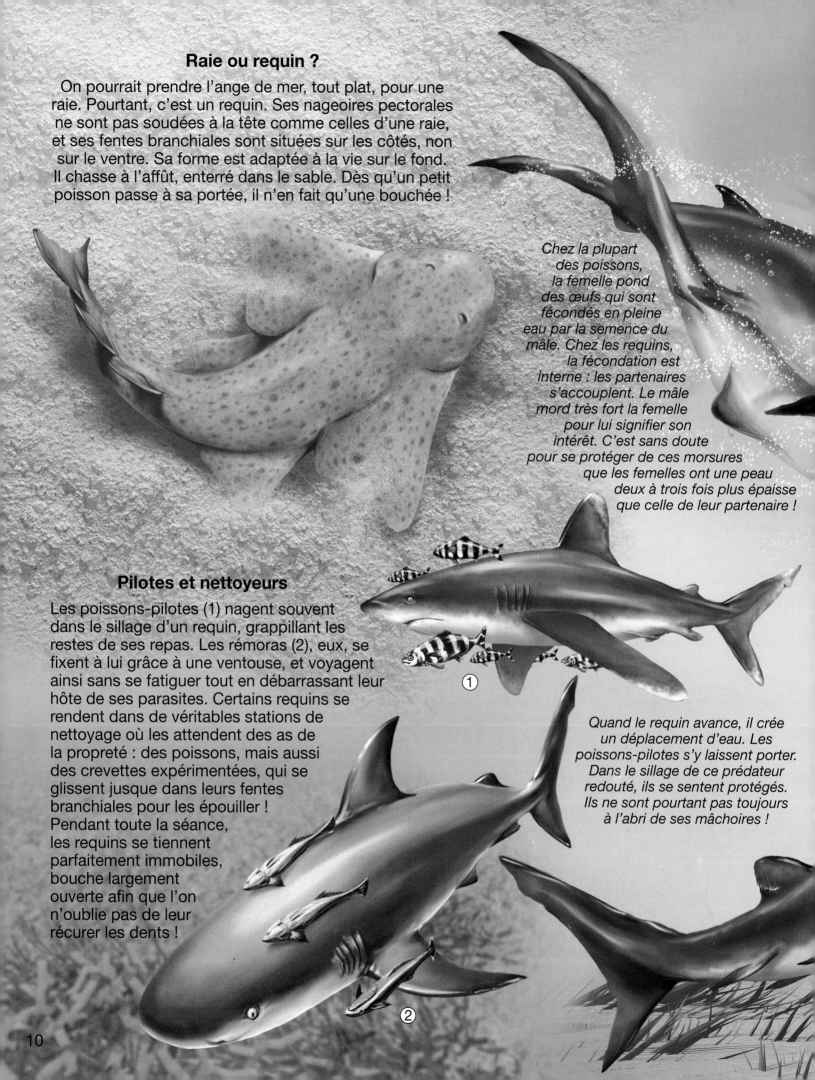

Raie ou requin ?

On pourrait prendre l'ange de mer, tout plat, pour une raie. Pourtant, c'est un requin. Ses nageoires pectorales ne sont pas soudées à la tête comme celles d'une raie, et ses fentes branchiales sont situées sur les côtés, non sur le ventre. Sa forme est adaptée à la vie sur le fond. Il chasse à l'affût, enterré dans le sable. Dès qu'un petit poisson passe à sa portée, il n'en fait qu'une bouchée !

Chez la plupart des poissons, la femelle pond des œufs qui sont fécondés en pleine eau par la semence du mâle. Chez les requins, la fécondation est interne : les partenaires s'accouplent. Le mâle mord très fort la femelle pour lui signifier son intérêt. C'est sans doute pour se protéger de ces morsures que les femelles ont une peau deux à trois fois plus épaisse que celle de leur partenaire !

Pilotes et nettoyeurs

Les poissons-pilotes (1) nagent souvent dans le sillage d'un requin, grappillant les restes de ses repas. Les rémoras (2), eux, se fixent à lui grâce à une ventouse, et voyagent ainsi sans se fatiguer tout en débarrassant leur hôte de ses parasites. Certains requins se rendent dans de véritables stations de nettoyage où les attendent des as de la propreté : des poissons, mais aussi des crevettes expérimentées, qui se glissent jusque dans leurs fentes branchiales pour les épouiller ! Pendant toute la séance, les requins se tiennent parfaitement immobiles, bouche largement ouverte afin que l'on n'oublie pas de leur récurer les dents !

Quand le requin avance, il crée un déplacement d'eau. Les poissons-pilotes s'y laissent porter. Dans le sillage de ce prédateur redouté, ils se sentent protégés. Ils ne sont pourtant pas toujours à l'abri de ses mâchoires !

① ②

Un mode de reproduction évolué

Tous les requins ne se reproduisent pas de la même façon. Certaines espèces sont ovipares : les femelles pondent des œufs. Chez les espèces ovovivipares, les œufs éclosent dans le ventre maternel. D'autres espèces sont vivipares : à l'intérieur de la mère, les embryons sont nourris par un placenta, et non par le contenu de l'œuf. Les bébés naissent après 6 à 12 mois de gestation.

Les œufs de la roussette, requin ovipare, sont enfermés dans des capsules protectrices. Afin de ne pas dériver, ces capsules sont munies de filaments qui s'enroulent autour des plantes aquatiques.

Chez certaines espèces ovovivipares, le premier-né dévore dans le ventre de sa mère les œufs non encore éclos !

Chez les requins vivipares, les embryons sont nourris par l'organisme maternel et reliés à un placenta par un cordon ombilical. Les portées comptent 2 à 100 petits. Ci-dessous, naissance d'un requin citron.

Petit requin deviendra grand

La mère n'est pas câline. Elle sécrète même une substance coupe-faim afin de ne pas dévorer ses petits lorsqu'ils naissent ! Une fois nés, les bébés sont livrés à eux-mêmes. Certains grandissent dans des lagons, à l'abri des prédateurs. Le petit requin-zèbre ci-dessous adopte une tenue de camouflage qui le dissimule aux yeux de ses ennemis et qui disparaît à l'âge adulte.

11

LIEUX DE VIE

Les requins peuplent toutes les mers du monde, sur le fond ou en surface. Certains ont privilégié des habitats particuliers, comme les profondeurs obscures des abysses, les eaux douces ou bien polaires. D'autres fréquentent les récifs de corail dans les mers tropicales, car la vie y foisonne et leur procure de la nourriture. Les requins de haute mer qui vivent au large des côtes sont souvent d'excellents nageurs, capables de poursuivre des proies rapides (maquereaux, thons).

Requin des glaces

Le laimargue du Groenland s'aventure jusque sous la banquise arctique ! Il remonte volontiers en surface chasser le phoque ou le dauphin. En profondeur, il capture toutes sortes de poissons, attirés, semble-t-il, par les minuscules crustacés luminescents fixés sur ses paupières.

Le requin mako (ci-dessus) est capable de bonds spectaculaires hors de l'eau : jusqu'à 4 m de haut ! Sans doute est-ce pour se débarrasser de ses parasites.

Les requins de haute mer

Le requin mako (1) est le plus rapide. Il atteint des pointes de vitesse de l'ordre de 80 km/h ! Le requin bleu (2) est un nageur infatigable. Il peut franchir un océan en quelques semaines ! Le requin océanique (3) est aussi appelé « requin longues mains » en raison de ses immenses nageoires pectorales.

Avant d'attaquer une proie, le requin bleu décrit des cercles de plus en plus serrés autour d'elle.

Dans les abysses

Les requins des abysses ne sont pas très grands. La plupart ne dépassent pas quelques dizaines de centimètres. Ils possèdent des organes lumineux sur les flancs et le ventre.

Sagre commun (- 2 000 m)

Chaque nuit, le squalelet féroce effectue jusqu'à 7 km aller-retour pour se nourrir en surface ! Ses proies sont bien plus grandes que lui : baleines, dauphins... qu'importe ! Il plaque sa bouche en ventouse sur leurs flancs puis tourne à toute vitesse sur lui-même et découpe une portion circulaire de chair avec ses dents acérées ! C'est ce qui s'appelle être dégusté à l'emporte-pièce !

Squalelet féroce (jusqu'à - 3 500 m)

Requin-pygmée (jusqu'à - 10 000 m)

Eau douce

Le requin du Gange (4) est le seul requin qui vive exclusivement en eau douce. Il se nourrit de poissons. Le requin-bouledogue (5) fréquente aussi bien les eaux salées du littoral que les eaux douces, où il séjourne lors de migrations saisonnières.

Le requin-bouledogue remonte les grands fleuves. Malheur à ceux qui s'aventurent sur les rives. C'est l'un des requins les plus dangereux pour l'homme !

Quand il se sent menacé, le requin gris de récif fait le gros dos. Mieux vaut alors déguerpir !

Dans les récifs

Les requins corail (6) passent souvent le jour immobiles, entassés dans une grotte ou à l'abri d'un surplomb rocheux. La nuit, ils chassent les petits poissons à proximité du fond. Le requin-nourrice (7) possède sous le museau des barbillons pour détecter les mollusques et les crustacés enfouis dans le sable. Il grimpe sur les rochers en utilisant ses nageoires pectorales comme des pattes !

Lorsqu'un petit poisson se réfugie dans la fissure d'un rocher, le requin-nourrice plaque ses lèvres sur le trou et l'aspire en produisant un courant très puissant !

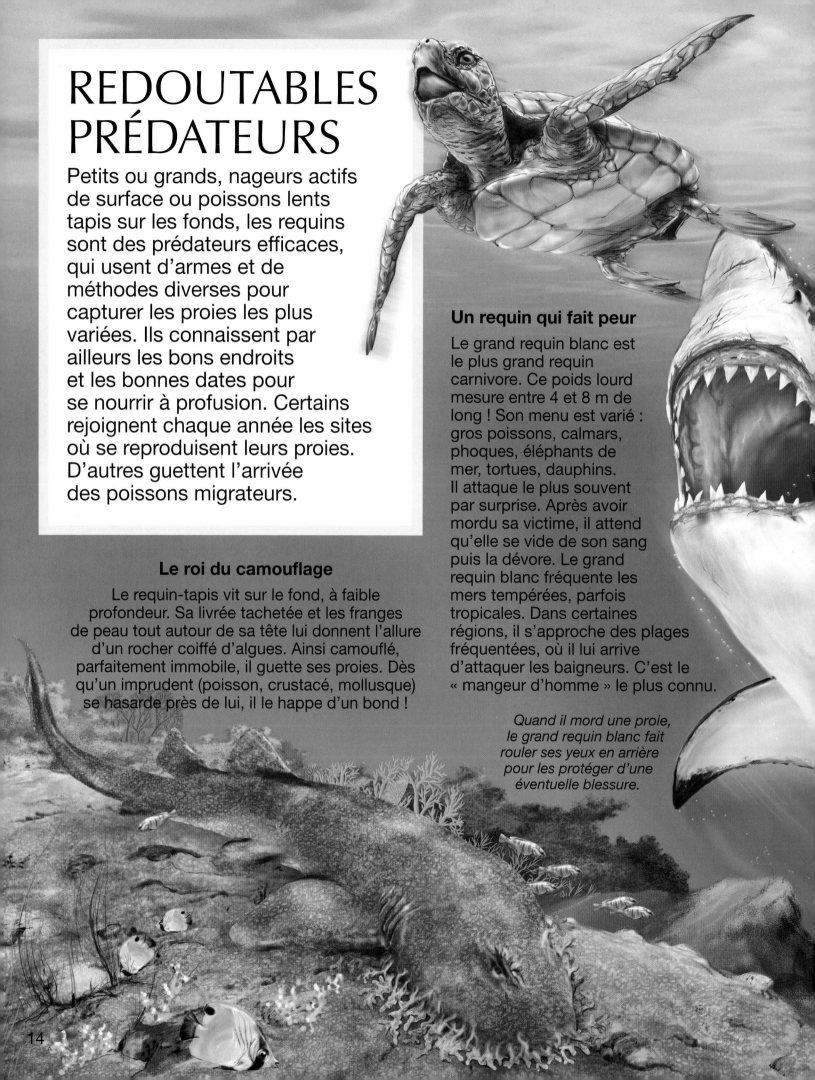

REDOUTABLES PRÉDATEURS

Petits ou grands, nageurs actifs de surface ou poissons lents tapis sur les fonds, les requins sont des prédateurs efficaces, qui usent d'armes et de méthodes diverses pour capturer les proies les plus variées. Ils connaissent par ailleurs les bons endroits et les bonnes dates pour se nourrir à profusion. Certains rejoignent chaque année les sites où se reproduisent leurs proies. D'autres guettent l'arrivée des poissons migrateurs.

Un requin qui fait peur

Le grand requin blanc est le plus grand requin carnivore. Ce poids lourd mesure entre 4 et 8 m de long ! Son menu est varié : gros poissons, calmars, phoques, éléphants de mer, tortues, dauphins. Il attaque le plus souvent par surprise. Après avoir mordu sa victime, il attend qu'elle se vide de son sang puis la dévore. Le grand requin blanc fréquente les mers tempérées, parfois tropicales. Dans certaines régions, il s'approche des plages fréquentées, où il lui arrive d'attaquer les baigneurs. C'est le « mangeur d'homme » le plus connu.

Quand il mord une proie, le grand requin blanc fait rouler ses yeux en arrière pour les protéger d'une éventuelle blessure.

Le roi du camouflage

Le requin-tapis vit sur le fond, à faible profondeur. Sa livrée tachetée et les franges de peau tout autour de sa tête lui donnent l'allure d'un rocher coiffé d'algues. Ainsi camouflé, parfaitement immobile, il guette ses proies. Dès qu'un imprudent (poisson, crustacé, mollusque) se hasarde près de lui, il le happe d'un bond !

L'union fait la force

La plupart des requins sont des chasseurs solitaires. Les requins à pointes noires, eux, chassent en groupe. Ils encerclent les bancs de poissons puis les rabattent vers le rivage, jusque sur le sable, où ils se tortillent pour les attraper !

Chaque année, le requin-tigre rejoint les sites de nidification des albatros, où il traque les jeunes qui prennent leur envol.

Tigre des mers

Le requin-tigre doit son nom aux rayures de son corps, qui s'estompent à l'âge adulte. Ce féroce prédateur à la mâchoire large et puissante vit dans les mers chaudes, près du rivage et au large. Il est réputé pour engouffrer tout ce qui lui tombe sous la dent. Dans son estomac, on a retrouvé des chaussures, des pots de peinture, et même des plaques d'immatriculation ! Il n'hésite pas à s'attaquer aux autres requins, aux baleineaux ou encore aux serpents de mer, dont il ne craint pas le venin. Il est très dangereux pour l'homme !

En une seule morsure, le grand requin blanc peut arracher 30 kg de chair !

Une queue bien utile

Le requin-renard vit surtout au large, dans les mers chaudes et tempérées. On le reconnaît à sa grande queue, presque aussi longue que le reste de son corps (l'ensemble mesure jusqu'à 6 m !). Avec sa queue, il rassemble ses victimes, qui nagent en banc (poissons, calmars), puis il s'en sert comme d'un fouet pour les étourdir. Il ne lui reste plus qu'à se servir !

DES GÉANTS PAISIBLES

La plupart des requins ne dépassent pas 1,50 m de long. Il existe cependant des requins géants, mais pas de panique : ils sont inoffensifs et se nourrissent presque exclusivement de plancton. Gueule grande ouverte, ils filtrent une considérable quantité d'eau et retiennent les minuscules organismes marins grâce à leurs branchies garnies d'une palissade de lamelles cornées. Ils possèdent en outre de minuscules dents, dont ils n'ont guère l'usage.

Le plus grand poisson du monde !

Le requin-baleine mesure en moyenne 12 m de long, mais il peut atteindre 18 m ! Ce mangeur de plancton ne dédaigne pas les poissons. Parfois, il se plante debout dans l'eau, ouvre une gueule béante et aspire les bancs qui passent en surface. Quand il avale une proie trop grosse, il retourne son estomac comme une poche et la rejette dans un hoquet retentissant !

Un requin mystérieux

Le requin à grande gueule a été découvert en 1976. Depuis lors, une vingtaine d'individus seulement ont été répertoriés ! On connaît encore très peu de choses sur ce requin, car il ne se laisse pas capturer facilement. Ce filtreur de plancton se nourrit aussi de petites méduses.

Nageur médiocre au corps flasque et gélatineux, le requin à grande gueule est parfois attaqué par des cachalots, comme en témoignent certaines cicatrices sur sa peau. Ses lèvres sont phosphorescentes, sans doute pour attirer les proies qu'il chasse dans les eaux obscures.

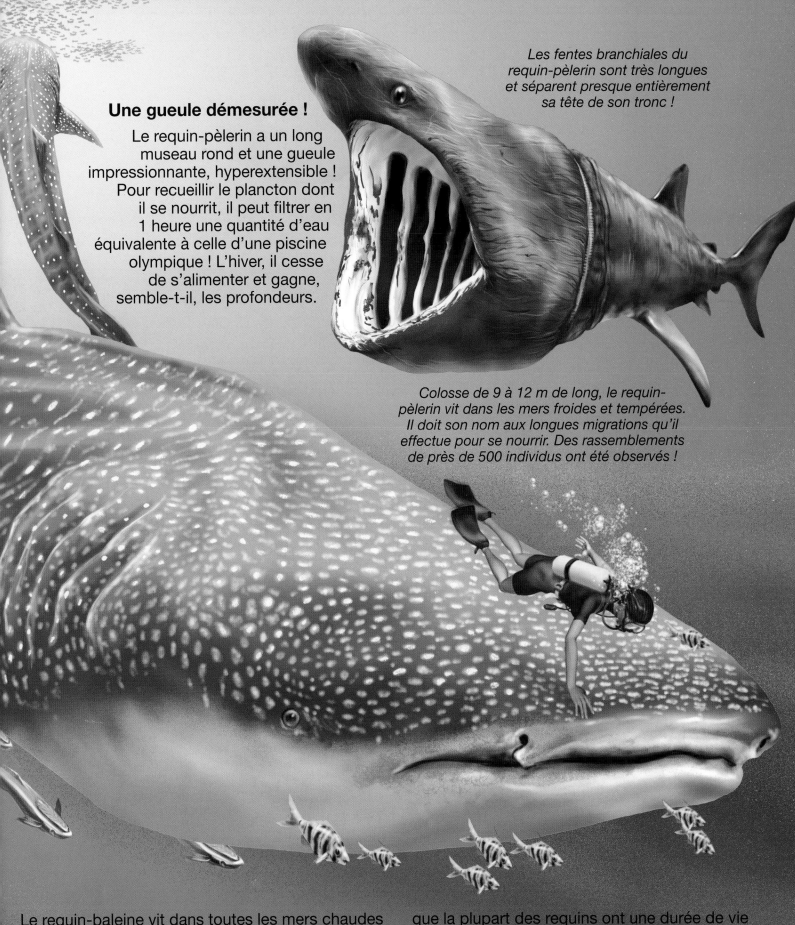

Une gueule démesurée !

Le requin-pèlerin a un long museau rond et une gueule impressionnante, hyperextensible ! Pour recueillir le plancton dont il se nourrit, il peut filtrer en 1 heure une quantité d'eau équivalente à celle d'une piscine olympique ! L'hiver, il cesse de s'alimenter et gagne, semble-t-il, les profondeurs.

Les fentes branchiales du requin-pèlerin sont très longues et séparent presque entièrement sa tête de son tronc !

Colosse de 9 à 12 m de long, le requin-pèlerin vit dans les mers froides et tempérées. Il doit son nom aux longues migrations qu'il effectue pour se nourrir. Des rassemblements de près de 500 individus ont été observés !

Le requin-baleine vit dans toutes les mers chaudes et tempérées du globe, excepté en Méditerranée. L'ouverture de sa gueule est large de plus de 2 m ! Sa peau, épaisse de 15 cm par endroits, le protège des morsures éventuelles d'une orque ou d'autres requins. Il semble qu'il vive jusqu'à 80 ans, alors que la plupart des requins ont une durée de vie moyenne de 20 à 30 ans. On le rencontre parfois en groupe lors de rassemblements saisonniers pour la quête de nourriture. D'un naturel curieux, le requin-baleine se laisse facilement approcher et caresser par les plongeurs.

17

DRÔLES DE REQUINS

Le plus rigolo !

Avec son museau en forme de groin,
le requin de Port-Jackson débusque les
mollusques, les oursins et les crustacés
sur les fonds marins. Ses nageoires
dorsales armées d'une épine acérée
découragent ses prédateurs !

La femelle du requin de Port-Jackson pond des œufs enfermés dans de drôles de capsules qui, sous l'influence des courants, s'enfoncent comme une vis dans le sable.

Le plus laid !

Pourvu d'un long museau en éperon surmontant
une mâchoire en forme de bec, le requin-lutin
est particulièrement effrayant. C'est un
poisson très rare, dont on sait peu de
choses. Il vit en eau profonde, jusqu'à
1 200 m, et se nourrit de poissons,
de poulpes et de calmars.

Il ne faut pas confondre le requin-scie (ci-dessous) et le poisson-scie. Plus grand, ce dernier fait partie de la famille des raies, et ne possède pas de barbillons sous le museau pour dénicher ses proies.

Le mieux outillé !

Le requin-scie a un long museau aplati bordé de dents acérées,
appelé « rostre ». Il s'en sert probablement pour dégager
les crustacés et les mollusques qu'il détecte dans
le sable, ou pour blesser les petits poissons en donnant
de violents coups de tête dans tous les sens.
À la naissance, les dents du petit requin-scie
sont repliées contre son rostre pour
qu'il ne blesse pas sa maman.

*Les requins-marteaux
sont connus pour former de
grands bancs pouvant rassembler
jusqu'à 500 individus ! Certaines
espèces nagent ensemble le jour et se
séparent la nuit pour chasser. Chez le requin-
marteau halicorne, on observe des bancs
composés uniquement de femelles !
Il semble que ces rassemblements
fassent suite aux périodes
d'accouplement.*

Le plus bizarre !

Le requin-marteau doit son nom à sa tête
élargie en forme de marteau, qu'il balance
de droite à gauche quand il nage. Comme
ses yeux et ses narines sont très écartés,
il possède un champ de vision
particulièrement étendu et s'oriente plus
facilement vers la source d'une odeur.
La forme de sa tête lui assure une stabilité
dans l'eau, à la manière des ailes d'un avion,
et lui facilite les manœuvres. Ce qui lui
permet, quand il se lance à la poursuite
de proies agiles comme les calmars,
de prendre des virages plus serrés que
les autres requins. Il existe 9 espèces
de requins-marteaux.

*Le grand requin-marteau
ci-contre est le plus solitaire
et le plus grand de tous.
Il mesure 4 à 6 m de long et est
friand de raies, qu'il plaque sur
le fond à l'aide de sa tête pour
les immobiliser. Il ne craint pas
l'aiguillon venimeux des raies
pastenagues. On a retrouvé des
grands requins-marteaux ayant
plus de 50 aiguillons plantés
dans la bouche et la gorge !*

DES LIENS DE PARENTÉ

Comme les requins, les raies et les chimères font partie de la famille des poissons cartilagineux. Les raies sont des requins modifiés qui se sont adaptés à la vie sur le fond il y a 150 millions d'années. La plupart se nourrissent de crustacés et de mollusques qu'elles broient avec leurs dents aplaties. La raie manta est l'une des seules qui se nourrisse en pleine eau, où elle filtre le plancton. Les chimères sont des parentes plus éloignées qui vivent en eaux profondes.

Diable des mers

On surnomme ainsi l'énorme raie manta, car elle possède deux longues cornes à l'avant de la tête. Ces cornes dirigent l'eau riche en plancton vers sa bouche. Pour mettre au monde ses petits, la raie manta effectue souvent de grands bonds hors de l'eau, comme ci-dessus ! Aussitôt expulsée, la petite raie, qui mesure environ 80 cm et pèse près de 10 kg, déploie ses nageoires et plonge dans l'océan.

Raie venimeuse

La raie pastenague possède une longue queue armée d'un ou de deux aiguillons acérés et venimeux pouvant atteindre 30 cm de long ! Importunée par un adversaire, elle le fouette avec cette queue cinglante, lui infligeant de douloureuses blessures. Pour débusquer ses proies sur le fond, elle souffle fortement sur le sable.

On dénombre une centaine d'espèces de raies pastenagues. La raie pastenague à taches bleues vit dans les récifs coralliens.

Guitare de mer

La raie-guitare doit son nom à son corps plat, prolongé par une queue large, qui évoque la forme d'une guitare. Elle existait déjà à l'époque des dinosaures. Certaines espèces vivent en eau douce.

La raie-torpille peut changer de couleur pour mieux se camoufler dans son environnement.

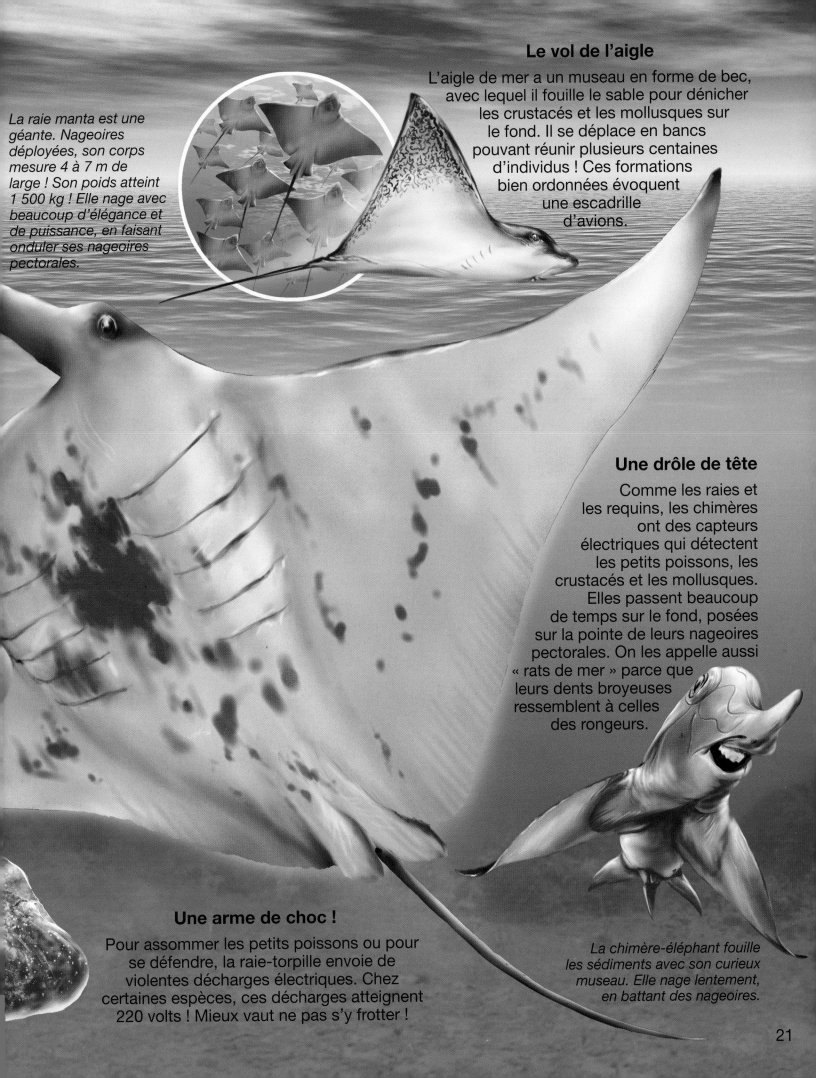

La raie manta est une géante. Nageoires déployées, son corps mesure 4 à 7 m de large ! Son poids atteint 1 500 kg ! Elle nage avec beaucoup d'élégance et de puissance, en faisant onduler ses nageoires pectorales.

Le vol de l'aigle

L'aigle de mer a un museau en forme de bec, avec lequel il fouille le sable pour dénicher les crustacés et les mollusques sur le fond. Il se déplace en bancs pouvant réunir plusieurs centaines d'individus ! Ces formations bien ordonnées évoquent une escadrille d'avions.

Une drôle de tête

Comme les raies et les requins, les chimères ont des capteurs électriques qui détectent les petits poissons, les crustacés et les mollusques. Elles passent beaucoup de temps sur le fond, posées sur la pointe de leurs nageoires pectorales. On les appelle aussi « rats de mer » parce que leurs dents broyeuses ressemblent à celles des rongeurs.

Une arme de choc !

Pour assommer les petits poissons ou pour se défendre, la raie-torpille envoie de violentes décharges électriques. Chez certaines espèces, ces décharges atteignent 220 volts ! Mieux vaut ne pas s'y frotter !

La chimère-éléphant fouille les sédiments avec son curieux museau. Elle nage lentement, en battant des nageoires.

TERREUR ET FASCINATION

Requin : le mot à lui seul fait frémir. On imagine souvent une bête énorme, assoiffée de sang, comme nous le montrent les films à sensation. Pourtant, la plupart des requins sont inoffensifs et souffrent de la mauvaise réputation d'une poignée d'entre eux, parmi lesquels les plus redoutables sont le grand requin blanc, le requin-bouledogue et le requin-tigre ! Dans certaines régions du Pacifique, le requin fascine l'homme et fait l'objet de nombreuses légendes.

Mythes et légendes

En Mélanésie, le requin est vénéré comme un dieu. Autrefois, on lui offrait des sacrifices humains. Le grand prêtre réunissait les membres de sa tribu et, un masque de requin à la main, désignait du bout du museau une victime, qui était étranglée, coupée en morceaux et jetée à la mer au son de prières. Les habitants des îles Salomon racontent que le requin est né du ventre d'une femme, et lui vouent un profond respect. Pour d'autres populations du Pacifique, le corps du requin abrite l'âme des personnes décédées.

Statuette mélanésienne représentant un dieu Requin.

Pourquoi le requin attaque-t-il l'homme ?

Il est faux de dire que le requin apprécie la chair humaine. Dans la plupart des cas, il mord sa victime une seule fois puis s'éloigne sans la dévorer. Au lieu de « mangeur d'homme », on devrait l'appeler « mordeur d'homme ». Il n'empêche qu'un requin affamé a envie de se caler l'estomac !

Les zones à risque

La majorité des accidents ont lieu le long des côtes très fréquentées par les requins dangereux. Les eaux de la côte californienne, par exemple, sont celles où l'on trouve le plus de grands requins blancs. En pleine mer, il est arrivé que des requins s'attaquent aux rescapés d'un naufrage ou du crash d'un avion.

Souvent, le requin confond les surfeurs avec des phoques ou des tortues.

Beaucoup d'attaques concernent les plongeurs imprudents : un requin a priori non dangereux pour l'homme peut se sentir menacé et obligé de défendre son territoire. De plus, certains plongeurs prennent de gros risques en tentant d'attirer les requins avec des proies sanguinolentes. Enfin, les requins peuvent être excités par trop de bruit ou d'agitation.

Gare aux baigneurs indisciplinés qui ne respectent pas les bouées et les panneaux signalant la présence de requins !

Mauvaise réputation !

Autrefois, les marins racontaient que des requins avides de chair humaine poursuivaient leur bateau. En fait, les requins étaient attirés par les restes de nourriture jetés par-dessus bord. Le mot requin vient de « requiem », la prière pour les morts, car tout homme qui voyait un requin pouvait se préparer à mourir ! Aujourd'hui, on sait que le requin n'est pas l'être malfaisant toujours en quête de proies humaines que l'on a si longtemps décrit. Il n'en reste pas moins un prédateur féroce qui peut s'avérer très dangereux dans certaines circonstances.

Cette gravure extraite du Petit Journal *illustré montre des forçats évadés du bagne de l'île du Diable, en Guyane, aux prises avec des requins.*

Protéger les plages

Les plages les plus dangereuses sont protégées par des filets dont la position est indiquée par des bouées. Chaque jour, ces filets sont vérifiés. Les requins pris dans les mailles sont marqués, puis relâchés. Mais beaucoup d'entre eux meurent étouffés !

Les zones en rouge indiquent les endroits où ont lieu la plupart des attaques.

On recense 5 à 10 attaques mortelles par an dans le monde.

23

LES ENNEMIS DU REQUIN

La pêche industrielle tue chaque année plusieurs millions de requins. Or, les requins reconstituent difficilement leurs populations, car ils ont moins de petits que les poissons osseux. Les filets dérivants et la pollution sont pour eux d'autres fléaux. Quant à la pêche sportive, elle attire de plus en plus d'amateurs. Dans le monde animal, les requins ont pour ennemis d'autres requins, ou encore des dauphins, avec lesquels ils entretiennent des rapports complexes.

L'exploitation du requin

« Tout est bon dans le requin, sauf son coup de dent », disent les pêcheurs. Sa chair est consommée. On la vend sous d'autres noms pour ne pas effrayer les clients : saumonette, pocheteau. Ses nageoires entrent dans la composition du fameux potage aux ailerons. Sa peau donne un cuir de luxe. L'huile de son foie est utilisée pour fabriquer des lubrifiants industriels, des crèmes de beauté, du rouge à lèvres, des vitamines, des médicaments. Son cartilage sert à la fabrication d'une peau artificielle destinée aux grands brûlés. Certains grands requins blancs sont tués uniquement pour leurs mâchoires, que l'on vend aux touristes à des prix très élevés !

Chaque jour, quelque 50 000 km de filets dérivants sont mouillés dans le monde, c'est plus que le tour de la Terre ! Il arrive que 90 % des prises ne soient pas utilisables !

Un scandale !

Chaque année, des millions de requins amputés de leurs nageoires sont rejetés à l'eau ! Ainsi, les pêcheurs peuvent utiliser des bateaux plus petits. Les requins meurent de faim ou d'étouffement car, ne pouvant plus nager, ils ne s'oxygènent pas correctement. Souvent, ils finissent dévorés par d'autres poissons.

Les murailles de la mort

C'est ainsi qu'ont été surnommés les filets dérivants, semblables à des filets de volley-ball, que les pêcheurs déploient en mer pour capturer certains poissons comme les thons. Lestés par des poids, quasiment invisibles, ils atteignent 40 m de haut et 10 km de long ! Tous les ans, des centaines de milliers de requins, des dauphins, des tortues et des oiseaux de mer y périssent emmêlés !

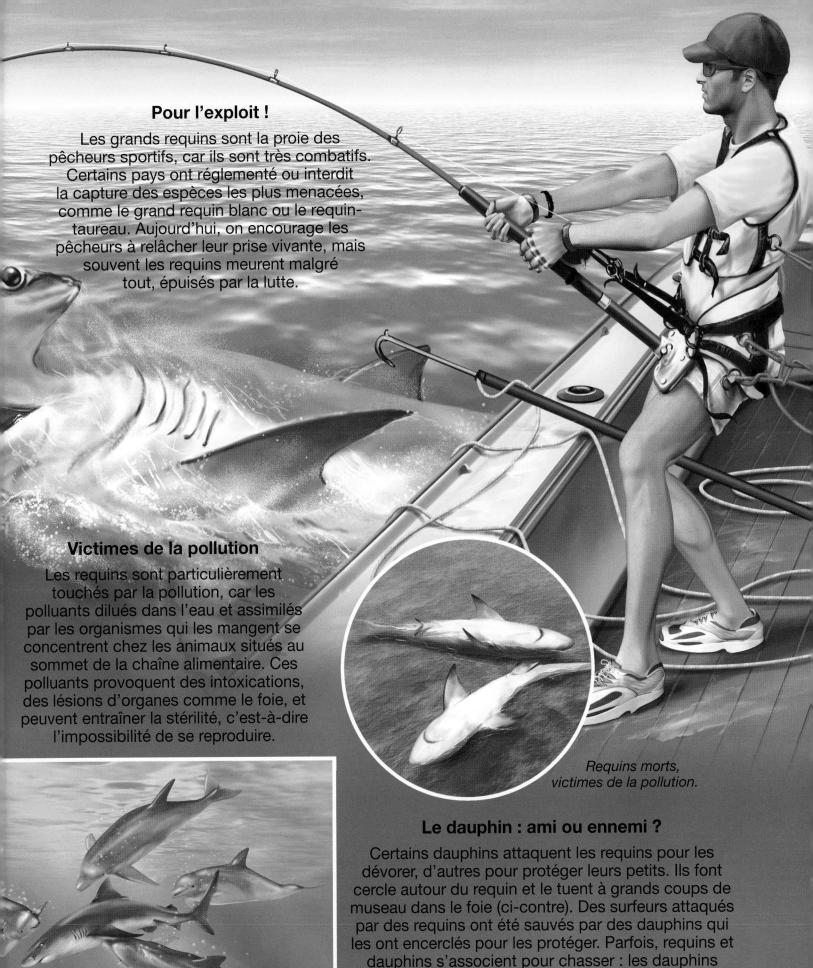

Pour l'exploit !

Les grands requins sont la proie des pêcheurs sportifs, car ils sont très combatifs. Certains pays ont réglementé ou interdit la capture des espèces les plus menacées, comme le grand requin blanc ou le requin-taureau. Aujourd'hui, on encourage les pêcheurs à relâcher leur prise vivante, mais souvent les requins meurent malgré tout, épuisés par la lutte.

Victimes de la pollution

Les requins sont particulièrement touchés par la pollution, car les polluants dilués dans l'eau et assimilés par les organismes qui les mangent se concentrent chez les animaux situés au sommet de la chaîne alimentaire. Ces polluants provoquent des intoxications, des lésions d'organes comme le foie, et peuvent entraîner la stérilité, c'est-à-dire l'impossibilité de se reproduire.

Requins morts,
victimes de la pollution.

Le dauphin : ami ou ennemi ?

Certains dauphins attaquent les requins pour les dévorer, d'autres pour protéger leurs petits. Ils font cercle autour du requin et le tuent à grands coups de museau dans le foie (ci-contre). Des surfeurs attaqués par des requins ont été sauvés par des dauphins qui les ont encerclés pour les protéger. Parfois, requins et dauphins s'associent pour chasser : les dauphins plaquent les bancs de poissons contre la surface en formant un écran de bulles pendant que les requins, en formation serrée, empêchent toute dispersion.

25

OBSERVER LES REQUINS

Les requins ne se laissent guère observer : certaines espèces se déplacent beaucoup, d'autres sont particulièrement méfiantes, d'autres encore, dangereuses. De plus, il est difficile de les suivre en plongée. Des observations ont été faites en aquarium, mais très peu d'espèces s'y prêtent, et les comportements en captivité ne sont pas les mêmes qu'en milieu naturel. La plupart des attitudes des requins n'ont pas été déchiffrées, et il reste encore beaucoup de choses à découvrir à leur sujet.

Face-à-face

Pour approcher les requins les plus dangereux, les chercheurs, les photographes et les réalisateurs de documentaires se protègent dans de robustes cages en acier reliées à un bateau et munies de flotteurs. Le métal crée un champ électrique qui peut inciter les requins à attaquer.

Une armure anti-requins !

Les personnes qui s'approchent des requins de petite ou de moyenne taille revêtent souvent une lourde combinaison en cotte de mailles, semblable à celle des chevaliers du Moyen Âge. Elle les protège d'éventuelles morsures.

Obtenir des informations

Pour connaître les itinéraires d'un requin, étudier sa croissance ou estimer son âge, les scientifiques fixent sur sa nageoire dorsale une étiquette portant un numéro d'identification. Ce numéro correspond à une fiche où sont indiqués le lieu et la date de la capture, la taille et le poids de l'animal. À chaque nouvelle capture, la fiche est réactualisée.

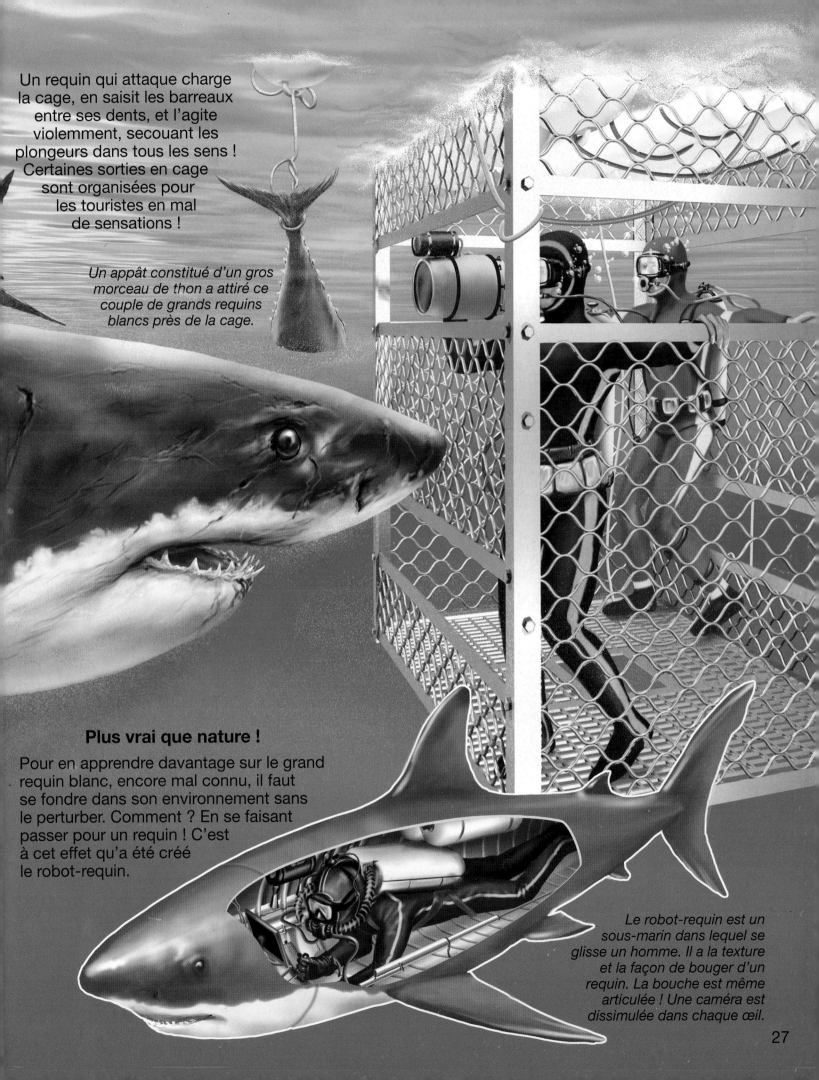

Un requin qui attaque charge la cage, en saisit les barreaux entre ses dents, et l'agite violemment, secouant les plongeurs dans tous les sens ! Certaines sorties en cage sont organisées pour les touristes en mal de sensations !

Un appât constitué d'un gros morceau de thon a attiré ce couple de grands requins blancs près de la cage.

Plus vrai que nature !

Pour en apprendre davantage sur le grand requin blanc, encore mal connu, il faut se fondre dans son environnement sans le perturber. Comment ? En se faisant passer pour un requin ! C'est à cet effet qu'a été créé le robot-requin.

Le robot-requin est un sous-marin dans lequel se glisse un homme. Il a la texture et la façon de bouger d'un requin. La bouche est même articulée ! Une caméra est dissimulée dans chaque œil.

27

TABLE DES MATIÈRES

ISBN : 2-215-08442-1
© Groupe Fleurus, 2006
Conforme à la loi n°49-956 du
16 juillet 1949 sur les publications
destinées à la jeunesse.
Dépôt légal à date de parution.
Imprimé en Italie (12-05)